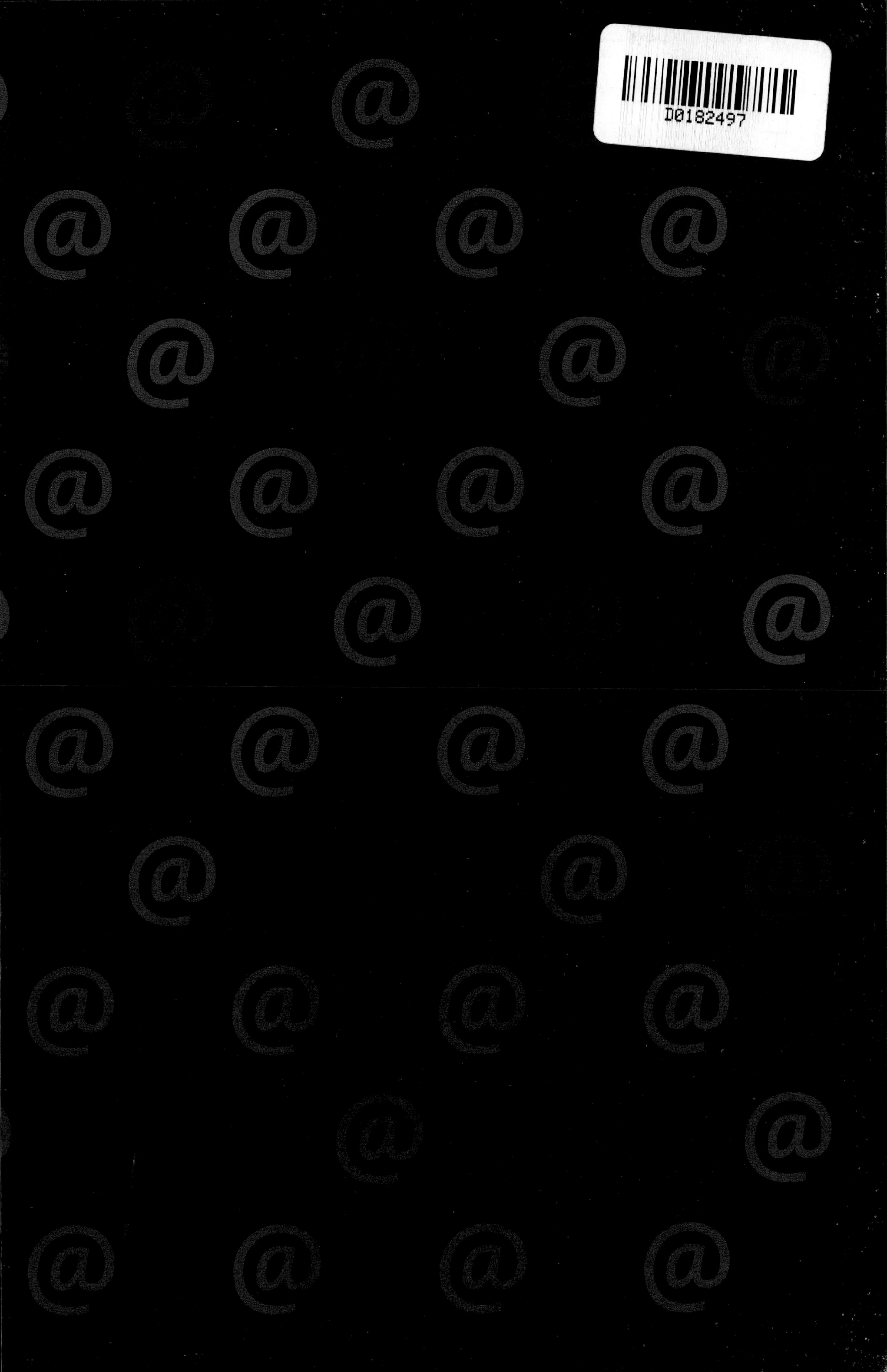

## Les êtres humains

Les mocassins
L'eau d'érable
Les pommes du verger au marché
Les jeux de ficelle

## La nature

Le castor
Le loup
Le caribou
La bernache

## Les arts

Le cirque
La magie
Les marionnettes
Le *scrapbooking*

# Table des matières

## Quand les premières marionnettes sont-elles apparues ?

Les premières marionnettes sont probablement apparues en **Asie**, il y a environ 4000 ans !
À différentes époques, on en retrouve aussi en Europe, en Égypte et chez certains peuples amérindiens. @

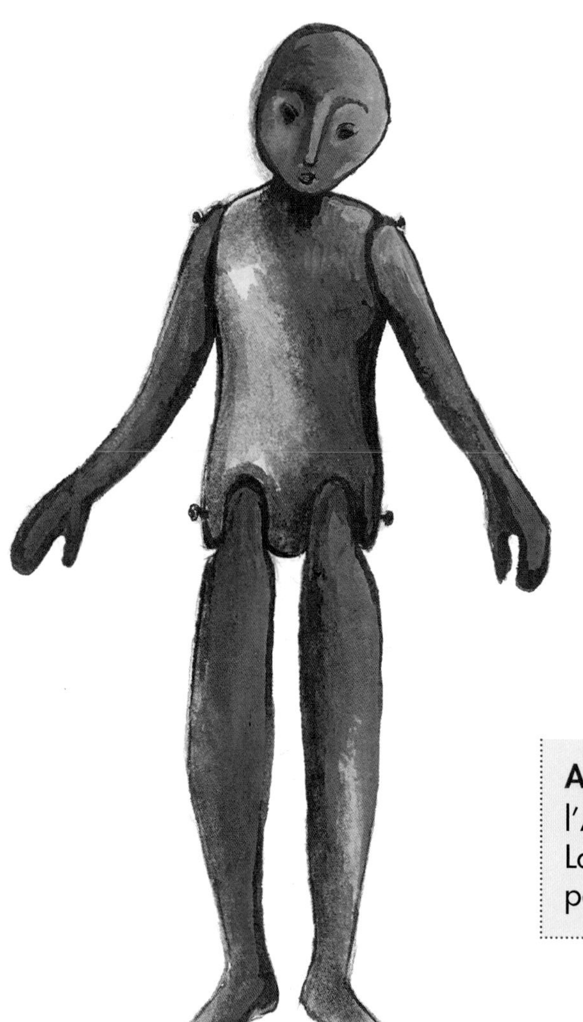

- D'où vient le mot marionnette ? @
- Comment les marionnettes prennent-elles vie ? @
- Où peut-on assister à des spectacles de marionnettes ? @
- Existe-t-il des écoles pour apprendre à manipuler des marionnettes ? @

**Asie :**
l'Asie est le continent le plus peuplé du monde. La Chine, l'Inde, le Japon et beaucoup d'autres pays en font partie.

La marionnette Pinocchio a été sculptée dans un morceau de bois qui pleurait et qui riait comme un enfant.
Le conte que tu vas lire dans les pages suivantes est lui aussi rempli de fantaisie

# Brave petit pingouin

Conte de Nancy Montour
Illustré par Gabrielle Grimard

C'est un merveilleux matin de neige,
le premier de l'hiver.
La salle de jeu de l'hôpital
est remplie d'enfants malades.
Ils semblent tous bien s'amuser,
sauf un petit garçon.

Le nez collé à la fenêtre,
il essaie d'oublier ses frissons.
Il ferme les yeux
et formule un souhait,
une sorte de **vœu** secret.

**vœu :**
on fait un vœu quand on souhaite
que quelque chose se réalise.

Quand il ouvre les yeux,
le petit garçon aperçoit une boîte blanche,
légère comme de la neige.
Il s'empresse de l'ouvrir
et découvre une marionnette.
Vite, il l'enfile sur sa main
et rencontre un petit pingouin.
– Bonjour ! Tu n'aurais pas vu
mon sac de voyage ?
Je crois que je l'ai perdu...
– Il est peut-être au fond de la boîte,
répond l'enfant.
– Voilà une bonne idée !

Le pingouin se penche au-dessus du carton.
Il saisit un bout de bois au bout duquel
il y a une longue ficelle et un hameçon.
– Je suis un bon pêcheur.
J'attrape tout ce que je veux !
Aussitôt, la canne plie sous le poids
d'un extraordinaire sac de voyage.
– Tu es prêt ? Nous partons à l'aventure !

– Oh ! Mais je ne peux pas y aller,
je suis malade.
– Je peux te guérir si tu veux,
propose le petit pingouin.
– C'est vrai ?
– Absolument !
La marionnette escalade le petit garçon
et dépose un tendre bisou sur sa joue.
– Voilà. Est-ce que ça va mieux ?
– Oui, ment gentiment l'enfant.

À ce moment, quelque chose
d'étonnant se produit.
Des branches poussent
à travers le mur.
Le plafond se couvre
de nuages **moutonnés**
et le plancher disparaît
sous une plage dorée.

**moutonnés :**
quand les nuages ressemblent à la toison
d'un mouton, on dit qu'ils sont moutonnés.

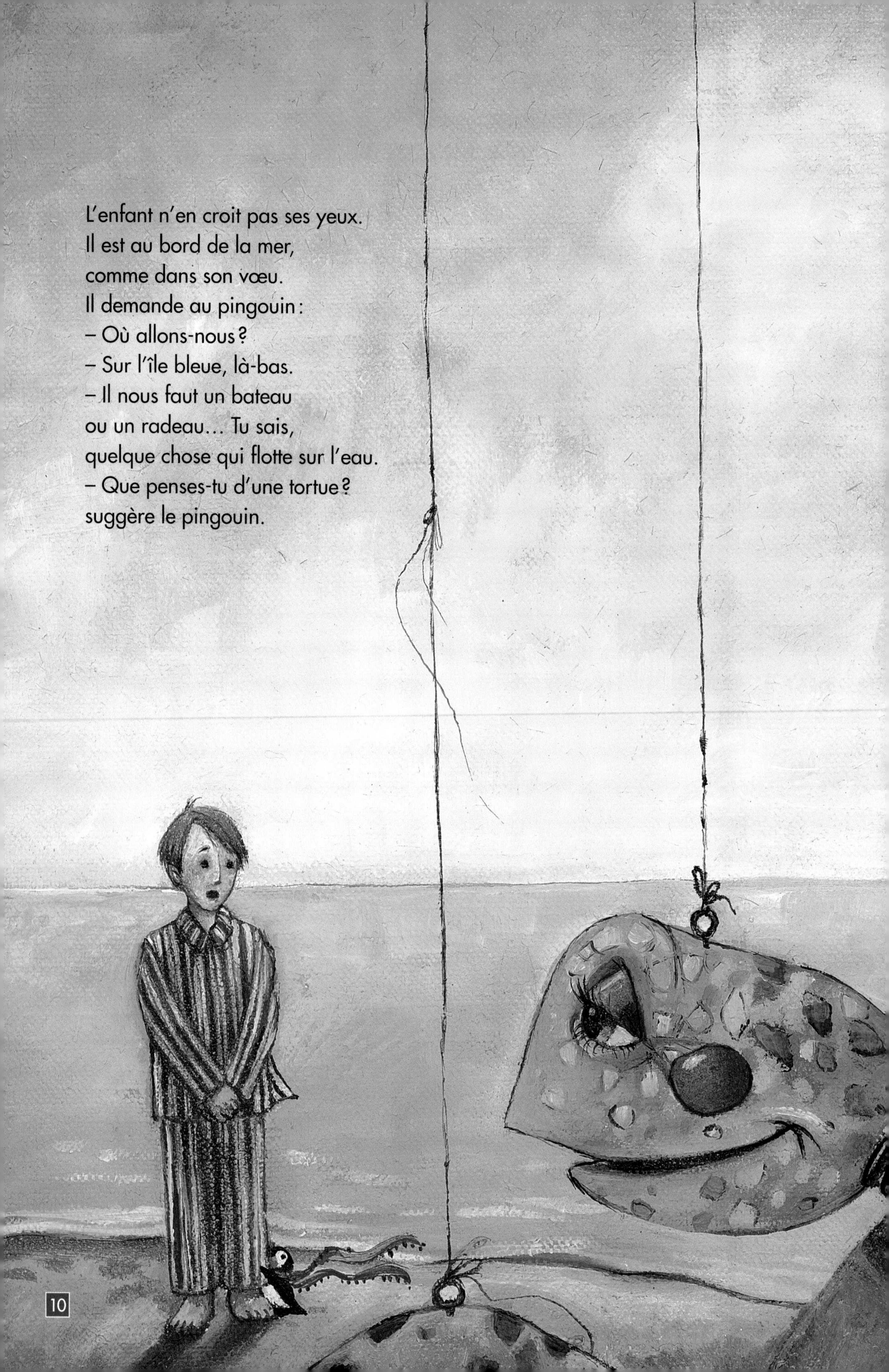

L'enfant n'en croit pas ses yeux.
Il est au bord de la mer,
comme dans son vœu.
Il demande au pingouin :
– Où allons-nous ?
– Sur l'île bleue, là-bas.
– Il nous faut un bateau
ou un radeau… Tu sais,
quelque chose qui flotte sur l'eau.
– Que penses-tu d'une tortue ?
suggère le pingouin.

Ce que le petit garçon avait pris
pour un rocher commence à bouger.
La tortue étire son cou
puis chacune de ses pattes.
Elle bâille bruyamment.
L'enfant en fait tout autant.

Sur le dos de la tortue, l'enfant se laisse bercer.
Sous le ciel ensoleillé, ses frissons se sont envolés.
Tout à coup, l'île bleue devient verte.
Le pingouin lance un cri d'alerte:
– Des pirates!
En un rien de temps, les **forbans** capturent l'enfant.

**forbans:**
les pirates qui organisent des attaques
en mer sont aussi appelés forbans.

Le brave petit pingouin
ne perd pas de temps.
Il ouvre grand son sac
et bombarde les pirates
de bulles de savon.
Ces derniers, apeurés,
se jettent à la mer!
Le petit garçon n'a jamais vu
d'aussi beaux plongeons.
– Ce serait génial de savoir
plonger comme des pirates…
– C'est bien plus amusant
de plonger comme un pingouin!

Les deux copains plongent
dans l'océan.
L'enfant ne s'attendait pas
à découvrir une forêt sous-marine,
ni des poissons multicolores,
encore moins un coffre aux trésors !

Il essaie de l'ouvrir,
mais sans réussir.
Le pingouin fouille dans son sac.
Il en retire une clé **perlée**
qu'il introduit dans la serrure.
Le coffre libère un joyeux dauphin.
– Ce serait génial de savoir
nager comme ce dauphin !
s'exclame le petit garçon.
– C'est bien plus amusant
de nager comme un pingouin !

**perlée :**
une clé perlée est décorée de perles.

L'enfant suit son ami
en nageant jusqu'à la plage.
Là-bas, une fée marionnette
les applaudit :
– Bravo ! Vous arrivez juste à temps
pour la fête.
À ces mots, un chœur de marionnettes
entonne une chansonnette.

D'un coup de baguette,
la fée transforme le sac
du petit pingouin
en une cape de magicien.
Une marionnette géante
couvre l'enfant
de ce magnifique vêtement.

Dans la salle de jeu de l'hôpital,
le petit garçon sursaute.
Sa maman l'enveloppe
d'un manteau bien chaud.
– Viens trésor, nous pouvons
rentrer à la maison.
L'enfant se blottit dans les bras
de sa mère.

Sur le rebord de la fenêtre,
un petit pingouin sourit.
Quel merveilleux matin de neige,
le premier d'un bel hiver !

**Il existe plusieurs familles de marionnettes.
En voici quelques-unes.**

**rigide :**
ce qui est rigide ne plie pas.

## 1 Les marionnettes à fils

On se sert des fils attachés sur les différentes parties du corps de la marionnette pour l'animer.

## 2 Les marionnettes à tringle

Une longue tige de métal **rigide**, appelée tringle, est fixée sur la tête de la marionnette pour la diriger.

## 3 Les marionnettes à gaine

On glisse la main dans une sorte de gant pour faire bouger la tête et les bras de la marionnette.

**paume :**
la paume est la partie intérieure de la main située entre le poignet et les doigts.

## 4 Les marottes

La marotte ressemble à un hochet. Sa tête est fixée au bout d'un bâton qu'on tient dans la main.

## 5 Les Muppets

La main ouvre et ferme la bouche de la marionnette. Elle change les expressions de son visage. @

## 6 Les marionnettes à doigt

On enfile un doigt dans la gaine et on oriente le visage de la marionnette du côté de la **paume**.

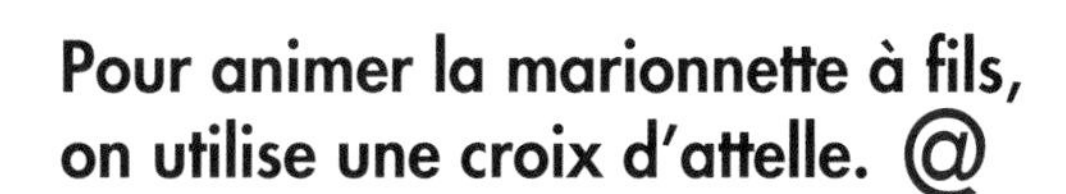

**Pour animer la marionnette à fils, on utilise une croix d'attelle.** @

**Le poids de la marionnette à tringle permet de la diriger.** Pour faire bouger ses membres, on ajoute des fils. @

**Sous le costume de la marionnette se cache son squelette.** Les parties de son corps sont réunies par des **pitons**.

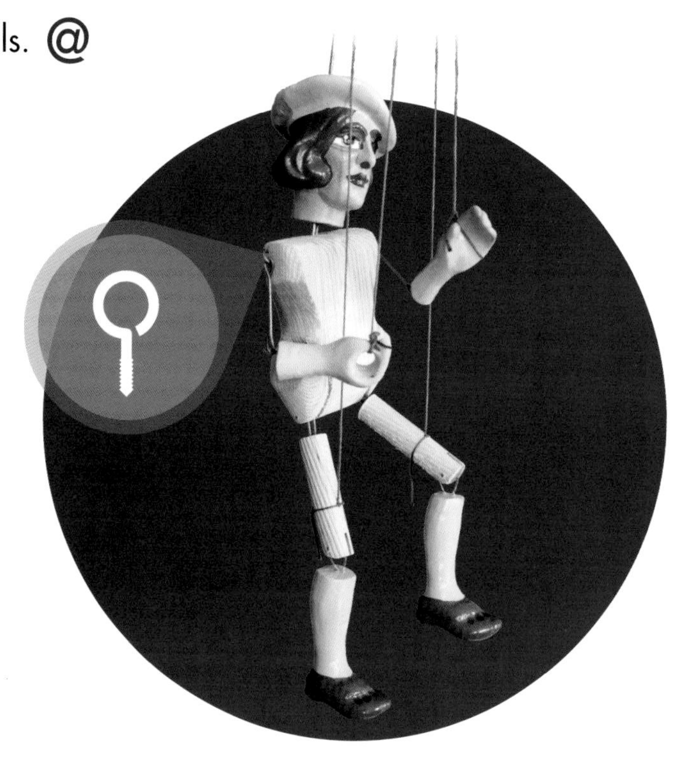

**pitons :**
les pitons sont des clous ou des vis dont la tête a la forme d'un anneau.

**Le bâton de la marotte représente sa colonne vertébrale.**

Les bras de la marionnette se mettent en mouvement dès qu'on agite le bâton. @

**À l'intérieur de la gaine, les doigts de la main se placent de différentes façons pour animer la marionnette. @**

**les doigts de la main :**
Dans l'ordre, les cinq doigts de la main sont le pouce, l'index, le majeur, l'annulaire et l'auriculaire.

# Une tradition lointaine

**Le théâtre d'ombres aurait été inventé avant le théâtre de marionnettes.**
Il y a des milliers d'années, les personnages étaient découpés dans de la peau de buffle. @

**Il y a très longtemps, les enfants chinois s'amusaient à peindre leurs doigts.**
On croit que ce jeu aurait donné naissance à la marionnette à doigt. @

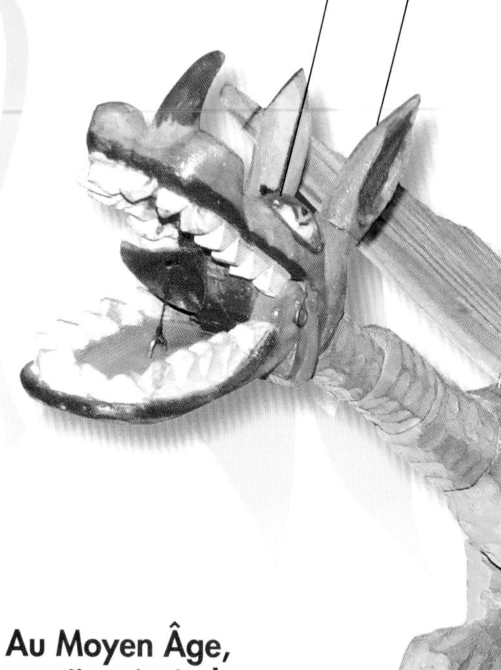

**Au Moyen Âge, on s'inspirait des contes pour fabriquer des marionnettes.**
Les dragons cracheurs de feu étaient créés pour impressionner les spectateurs.

**Moyen Âge :**
le Moyen Âge est la période de l'histoire qui se situe entre 476 et 1492.

**C'est au Moyen Âge que les premiers théâtres de marionnettes ont été créés.** On leur a donné le nom de **castelets** car ils ressemblaient à de petits châteaux. @

**castelet :**
dans castelet, il y a le mot *castel* qui signifie « château ». En ajoutant – *et*, le sens du mot devient « petit château ».

**Les marionnettes de rue sont aussi apparues au Moyen Âge.** Une personne se cachait à l'intérieur pour les animer. Ce sont les ancêtres des marionnettes géantes d'aujourd'hui. 

**Au début du $20^{e}$ siècle, on a commencé à utiliser la main comme marionnette.** Les mouvements de la main donnaient vie au personnage.

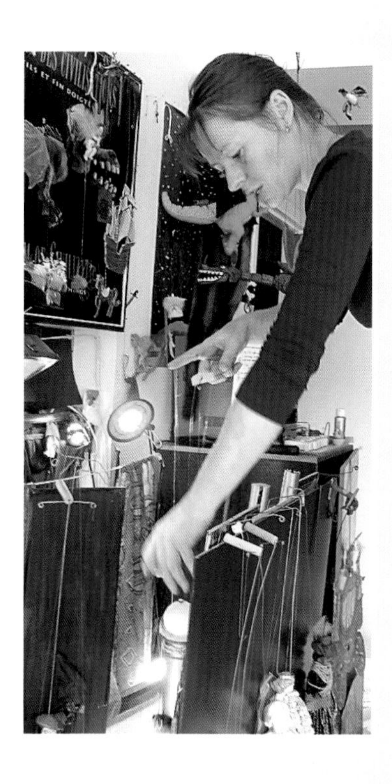

**Derrière le castelet, la marionnettiste travaille très fort.**
En plus d'animer les marionnettes, elle effectue les changements de décor.

**Les marionnettes à fils et les marionnettes à tringle sont manipulées par au-dessus.**

**Les marionnettes à gaine, les Muppets et les marottes sont animées par en dessous.**

**Les marionnettes géantes sont elles aussi manipulées par en dessous.**
Le manipulateur doit porter un harnais spécial car elles sont très lourdes. @

**Les ombres s'animent derrière un écran éclairé par une source de lumière.**
Des tiges sont utilisées pour faire glisser les formes des personnages contre l'écran. 

# Étonnantes marionnettes géantes

**As-tu déjà assisté à une pièce de théâtre jouée par des marionnettes géantes ?**
Au Théâtre de la Dame de cœur, les spectacles sont présentés dans une salle extérieure en forme de cercle. Des sièges **pivotants** permettent de suivre les déplacements des marionnettes derrière le castelet qui entoure la salle. @

**pivotants :**
les sièges pivotants tournent sur eux-mêmes.

**Les marionnettes partagent la scène avec les comédiens.**
En les voyant côte à côte, on réalise mieux à quel point elles sont grandes. @

**Certaines d'entre elles sont gigantesques.**

**De nombreuses personnes participent à la fabrication d'une marionnette géante.**
Illustrateurs, soudeurs, menuisiers, électriciens, couturiers, sculpteurs, artistes peintres, entre autres, partagent leurs connaissances et unissent leurs talents. @

**Le résultat est magnifique.**
Ce pélican géant est terminé. Il pèse maintenant une **tonne** !

**tonne :**
une tonne égale 1000 kilogrammes.

**Certaines marionnettes possèdent un regard lumineux.**
On se sert de l'ordinateur pour créer l'œil et reproduire ses mouvements. Ces images sont retransmises sur des écrans fixés à la place des yeux de la marionnette. @

# Des jeux pour observer

**1 Peux-tu nommer la famille de chacune de ces marionnettes ?**

**2 Choisis la phrase qui devrait accompagner ce dessin :**

**A** À l'intérieur de la gaine, l'index, le majeur et l'annulaire dirigent un bras.

**B** À l'intérieur de la gaine, le majeur, l'annulaire et l'auriculaire dirigent un bras.

Réponses : 1 • A) marionnette à doigt. B) marionnette à gaine. C) marionnette à fils. D) marotte. 2 • B)

Une de ces marionnettes était très populaire au Moyen Âge. Laquelle ?

Quel est le titre du conte présenté dans ce petit théâtre d'ombres ?

Réponses : 3 • B 4 • *Les trois petits cochons.*

# Vérifie ce que tu as retenu

## Réponds par VRAI ou FAUX aux affirmations suivantes.

**(Sers-toi du numéro de page indiqué pour vérifier ta réponse.)**

**1** Les premières marionnettes sont probablement apparues il y a 400 ans.
PAGE 2

**2** La tringle est une longue tige de métal rigide fixée sur la tête de la marionnette.
PAGE 20

**3** Le visage de la marionnette à doigt est orienté du côté la paume.
PAGE 21

**4** Le bâton de la marotte représente son cou.
PAGE 23

**5** Le théâtre de marionnettes a été inventé avant le théâtre d'ombres.
PAGE 24

**6** Le mot *castelet* signifie « petit château ».
PAGE 25

**7** Les marionnettes de rue sont apparues au 20e siècle.
PAGE 25

Réponses : 1 FAUX 2 VRAI 3 VRAI 4 FAUX 5 FAUX 6 VRAI 7 FAUX

## Catalogage avant publication de Bibliothèque et Archives Canada

Roberge Blanchet, Sylvie

**Les marionnettes**
(Curieux de savoir : avec liens Internet)
Comprend un index.
Sommaire: Brave petit pingouin / texte de Nancy Montour.
Pour enfants de 6 ans et plus.

ISBN 978-2-89512-504-4

1. Marionnettes – Ouvrages pour la jeunesse. 2. Marionnettes – Romans, nouvelles, etc. pour la jeunesse. I. Grimard, Gabrielle, 1975- . II. Montour, Nancy. Brave petit pingouin. III. Titre. IV. Collection : Curieux de savoir.

PN1972.R62 2007 j791.5'3 C2006-941787-3

**Direction artistique, recherche et texte documentaire, liens Internet :** Sylvie Roberge

**Direction artistique de la couverture :** Marie-Josée Legault

**Graphisme et mise en pages :** Dominique Simard

**Illustration du conte, de la page 1 de couverture, dessins de la table des matières et des pages 2, 22, 23 (haut) et 24 :** Gabrielle Grimard

**Dessins des pages 23 (bas) et 30 :** Guillaume Blanchet

**Révision et correction :** Marie-Thérèse Duval et Corinne Kraschewski

**Photographies :**

© Sylvie Roberge, pages 20, 21, 24, 25, 26, 27 (haut à droite, bas), 30 et 31

© Romi Caron, pages 1 de couverture, 22

© Richard Blackburn, pages 27 (haut à gauche), 28, 29

**Autres sources**

Collection Romi Caron, pages 1 de couverture, 20 (milieu), 22, 24, 25 (haut), 26 (haut), 27 (bas)

Collection Théâtre de la Dame de coeur, pages 25 (bas), 27 (haut), 28, 29

Collection Jean Péronnet, page 26 (bas)

Nous remercions le Conseil des Arts du Canada de l'aide accordée à notre programme de publication.

Nous reconnaissons l'aide financière du gouvernement du Canada par l'entremise du Programme d'aide au développement de l'industrie de l'édition (PADIÉ) pour nos activités d'édition.

Nous reconnaissons l'aide financière du gouvernement du Québec par l'entremise du Programme de crédit d'impôt pour l'édition de livres – SODEC – et du Programme d'aide aux entreprises du livre et de l'édition spécialisée.


Dépôt légal : 2e trimestre 2007
Bibliothèque et Archives du Québec
Bibliothèque nationale du Canada

**Dominique et compagnie**
300, rue Arran, Saint-Lambert (Québec) J4R 1K5
Téléphone : 514 875-0327; Télécopieur : 450 672-5448
Courriel : dominiqueetcompagnie@editionsheritage.com

Imprimé en Chine
10 9 8 7 6 5 4 3 2 1



L'éditeur remercie Leslie Molen (www.rootie.com) d'avoir autorisé qu'une de ses poupées serve de modèle pour illustrer la marionnette qui apparaît en page 1 de couverture et en page 16 du conte *Brave petit pingouin*.

**Curieux de savoir**

**AVEC LIENS INTERNET** offre une foule d'informations aux enfants curieux. Le signe @ t'invite à visiter la page **www.dominiqueetcompagnie.com/pedagogie** afin d'en savoir plus sur les sujets qui t'intéressent.

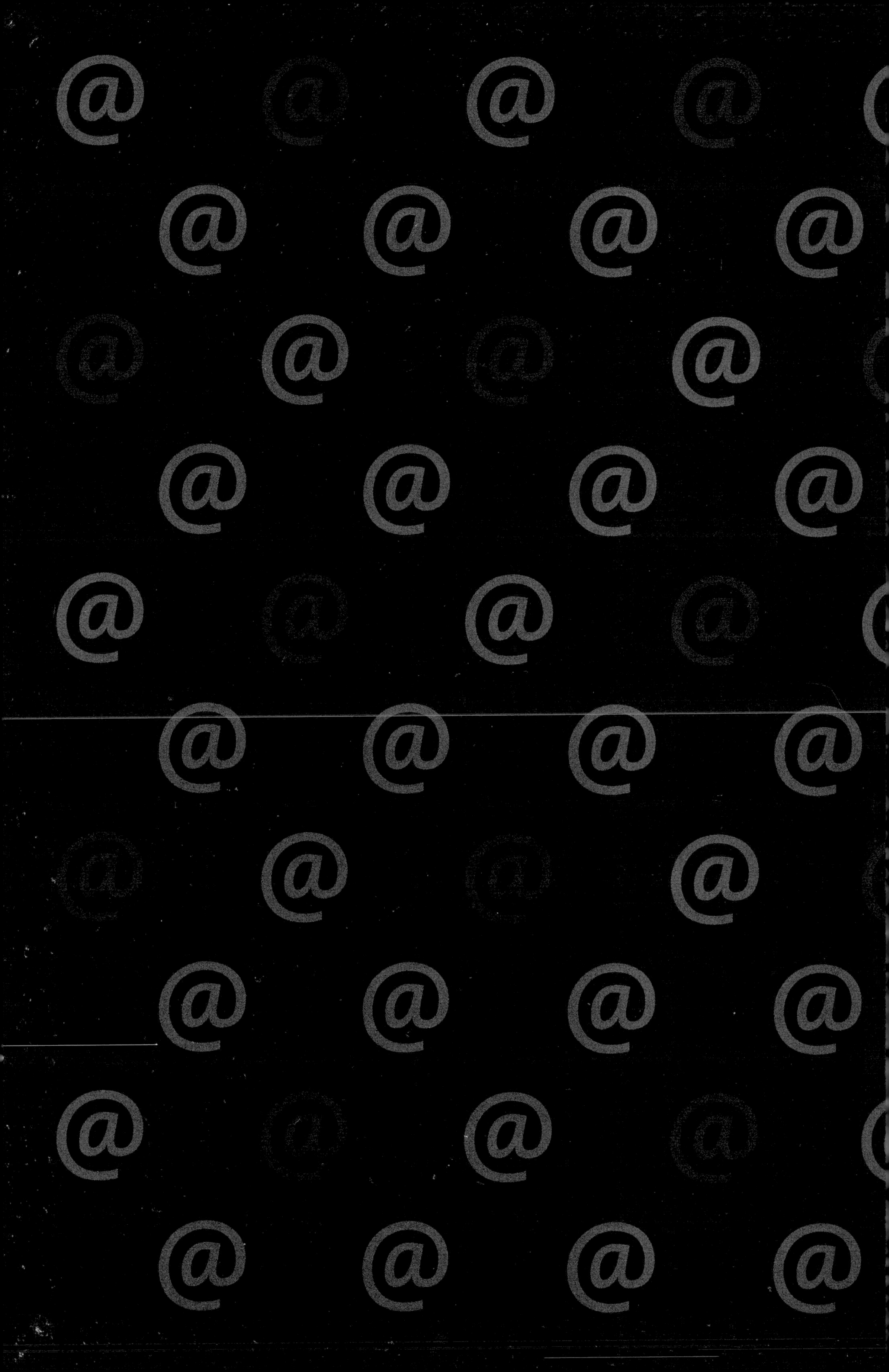